Oliver Scherz (1974) estudió Interpretación en la Hochschule für Musik und Theater de Leipzig (Alemania). Es director y actor de cine y televisión y autor de libros para niños.

Eva Muggenthaler (1971) estudió Ilustración y Diseño en la Fachhochschule für Gestaltung de Hamburgo. Ha publicado numerosos álbumes, entre los que se encuentra *Oso blanco, oso negro*, editado en España por Los Cuatro Azules.

Título del original alemán: Der kleine Erdvogel
Traducción de Eduardo Martínez

Printed in Spain: Gráficas Varona, S.A.
ISBN: 978-84-942305-2-3
Depósito legal: S. 80-2014

www.loguezediciones.es

Oliver Scherz
Eva Muggenthaler

Pequeño pájaro de tierra

Lóguez

"¡Yo quiero volar!",
dice el topo, que es tan
pequeño como una hoja de roble.
De la excitación, salta hasta
el techo, muy
bajo, en su cueva.
"Nosotros vivimos bajo tierra", dice
su madre. "Nosotros no volamos".

"¡Entonces, yo soy un pájaro de tierra!",
dice el pequeño topo en voz baja.

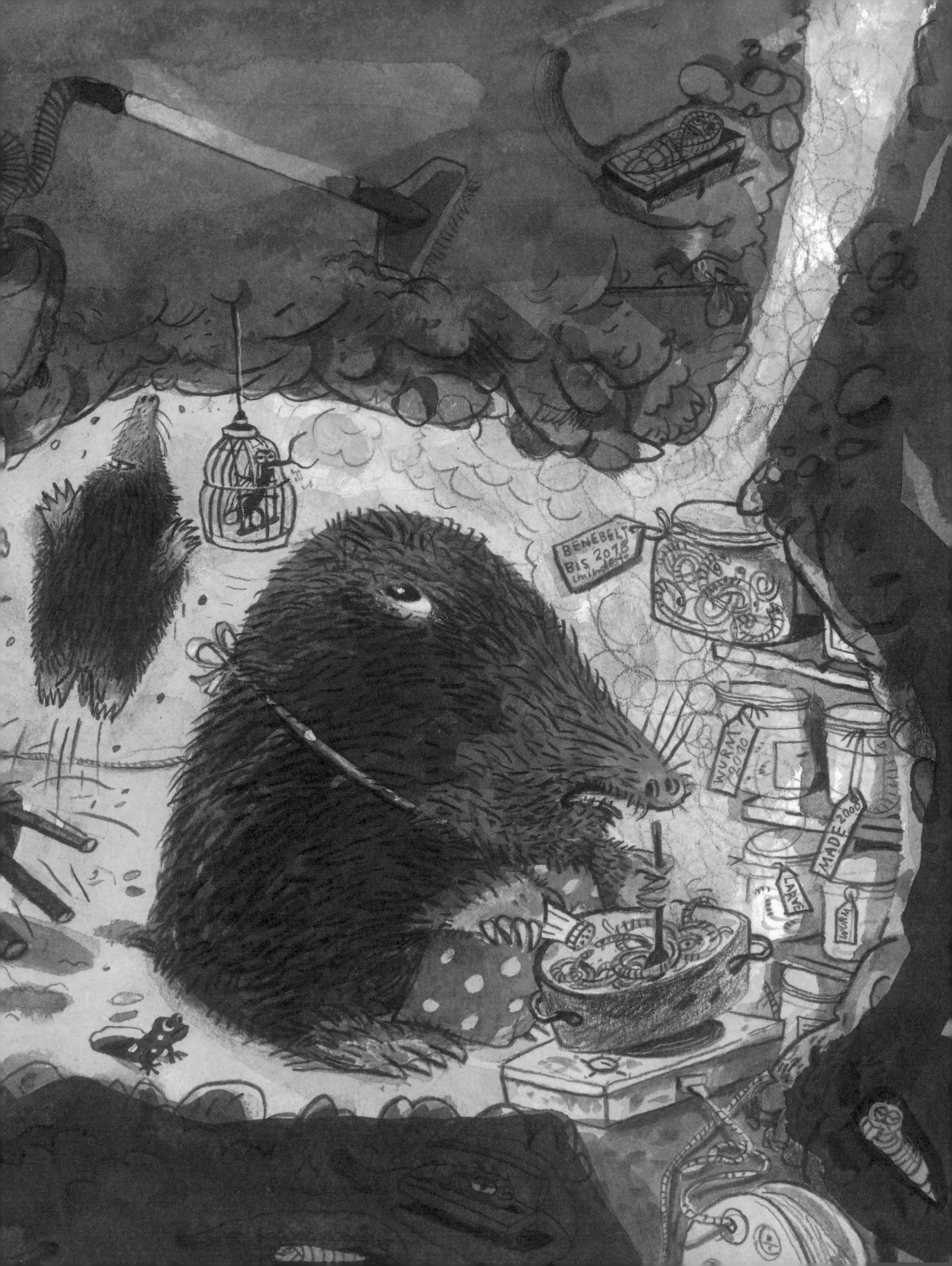
BENEBELT
BIS 2018
WURM 2010
MADE 2000
LARVE
WURM

El topo se arrastra por oscuros pasillos. Estrechos, largos y húmedos. "¡Yo quiero volar!", va diciéndose a sí mismo. Y aunque no debe hacerlo, se va abriendo paso hacia arriba, hasta que su hocico sobresale de la tierra y sonríe al cielo.

Se sienta en la colina de los topos,

ante una vaca que está comiendo hierba a dos carrillos.

"¡Yo quiero volar!", dice el topo.

"¿Ah, sí?", dice la vaca. "¿Por qué quieres lo que no puedes? Fíjate en mí: Por delante, como hierba y por detrás sale una boñiga". Dicho y hecho, la vaca lo demuestra.

"¿No es maravilloso? ¿Para qué iba a necesitar volar?", dice y mira masticando por encima de la alambrada.

Las moscas se alegran con las boñigas. Y el topo se alegra con las moscas. Les hace una seña. "¡Yo también quiero volar!", dice el topo. "¿Cómo se hace?".

"Tú tienes palas en lugar de alas. Además, eres ciego. Te estrellarías contra todos los árboles". Sólo con pensar en ello, hace que las moscas golpeen divertidas las alas contra sus patas riéndose hasta quedar sin aliento.

Un gallo se acerca corriendo
por la pradera y picotea hacia
las moscas como si fueran
granos de trigo.
"¡Yo quiero volar!", le dice el topo
al gallo. "¿Cómo se hace?".
"¡Escucha atentamente!", cacarea el gallo.
"Yo lo he intentado todo: he saltado desde los
tejados, he tomado carrerilla y me he lanzado
de cabeza por la pendiente".

El gallo aletea salvajemente. "Aleteo mil veces por minuto.
¿Y tú crees que puedo volar? Brinco cual gallina desplumada.
Es todo lo que consigo", dice y pica hacia una mosca que alegremente revolotea a
su alrededor. "No tiene ningún sentido. Un gallo es un gallo y un topo es un topo".

El topo se aleja del gallo pasando por debajo de la alambrada, donde una cigüeña se apoya despreocupada en uno de los postes. "Hola, pequeño", dice la cigüeña.

“¡Yo quiero volar!”, dice el topo.

“¡Volar es un arte!”, dice la cigüeña por su delgado pico.

Extiende sus alas y mira las puntas de sus plumas. “Cuando estás allí arriba,

donde vuelan los hermosos pájaros,

tienes que jugar con el viento y acariciar las nubes”.

“No lo entiendo”, dice el topo y continúa su camino.

Llega hasta una colina de abundante hierba.
Cuanto más asciende, más fuerte sopla el viento.
Las mariposas son arrastradas como
hojas secas de mil colores.
Arriba, en la colina, encuentra a la lechuza posada
en un árbol.
"¡Yo quiero volar!", dice el topo.
"¿Y por qué no vuelas?", pregunta la lechuza.
"Tengo palas en lugar de alas. Además,
soy casi ciego".
"Entonces vuela con tus oídos", dice la lechuza
y cierra los ojos. "¿Oyes el viento?".

"¿Oyes cómo pasa entre la hierba acariciándola?
¿Y cómo sopla a los dientes de león? ¿Oyes
su susurro en las hojas y su silbido entre las ramas?
¿Y cómo empuja jadeante las nubes?
¿Oyes cómo juega con las altas olas
del inmenso mar? ¿Cómo se aleja hacia lejanos países
llevándose con él fragancias desconocidas?".

Y aunque los topos apenas pueden ver, sí oyen muy bien. Y, así, el topo escucha atento al viento que pasa susurrando entre su piel.

Cuanto más escucha su susurro, más se deja llevar por él, elevándole tempestuoso por encima de la tierra, pasando delante de árboles y torres, y lo lleva, ligero como una pluma, por encima de las cumbres de las altas montañas. "¡Vuelo!", exclama el pequeño topo excitado. Su cara se ha enrojecido con el viento y, en lo alto, en la cumbre, gira como una hoja de roble.

"Solamente da vueltas, no vuela", comenta el gallo
a los pies de la colina.
"¿Cómo va a volar?", preguntan las moscas.
La vaca hace tiempo que se ha puesto de nuevo a pastar.
"Volar es un arte", dice la cigüeña y salta hacia
el cielo.
"¡Tú eres un pájaro de tierra, nada más que eso!",
exclama su madre.

Por la noche, cuando el pequeño topo ya está en la cama, huele a viento y a un mundo lejano.
"Yo puedo volar", le susurra a la tierra.
Y como todavía no quiere dormirse, hunde su nariz en la aromática piel y flota de nuevo como una nube alrededor del mundo.